Pagail.. le vétérinaire !

Stéphane Descornes • Mérel

Rachid le timide

Mélanie la chipie

Pacha le chat

Pascale la géniale

Arthur le gros dur

ES-tu prêt pour une nouvelle aventure ? Eh bien, commençons !

Ah, j'y pense! les mots suivis d'un ☼ sont expliqués à la fin de l'histoire.

Quoi de neuf, docteur ?

Remplace les dessins par les mots qui conviennent.

C'est le jour du vaccin

pour . Mais, chez le

c'est la panique :

un poursuit Pacha qui, lui,

poursuit un .

, au secours !

31

Dans la même collection
Illustrée par Mérel

Je commence à lire

1- *Qui a fait le coup ?* Didier Jean et Zad • 2- *Quelle nuit !* Didier Lévy • 3- *Une sorcière dans la boutique,* Mymi Doinet • 4- *Drôle de marché !* Ann Rocard • 15- *Bon anniversaire, Gafi !* Arturo Blum • 16- *La fête de la maîtresse,* Fanny Joly • 23- *Gafi et le magicien,* Arturo Blum • 24- *Le robot amoureux,* Stéphane Descornes • 29- *Une drôle de robe !* Elsa Devernois • 30- *Pagaille chez le vétérinaire !* Stéphane Descornes • 35- *Le nouvel élève,* Anne Ferrier • 36- *Le visiteur de l'espace,* Stéphane Descornes

Je lis

5- *Gafi a disparu,* Didier Lévy • 6- *Panique au cirque !* Mymi Doinet • 7- *Une séance de cinéma animée,* Ann Rocard • 8- *Un sacré charivari,* Didier Jean et Zad • 13- *Le château hanté,* Stéphane Descornes • 14- *Attention, travaux !* Françoise Bobe • 19- *Mystère et boule de neige,* Mymi Doinet • 20- *Le voleur de bonbons,* Didier Jean et Zad • 25- *Le roi de la patinoire,* Didier Lévy • 26- *Qui a mangé les crêpes ?* Anne Ferrier • 31- *Le passager mystérieux,* Françoise Bobe • 32- *Un fantôme à New York,* Didier Lévy

Je lis tout seul

9- *L'ogre qui dévore les livres,* Mymi Doinet • 10- *Un étrange voyage,* Ann Rocard • 11- *La photo de classe,* Didier Jean et Zad • 12- *Repas magique à la cantine,* Didier Lévy • 17- *La course folle,* Elsa Devernois • 18- *Sauvons Pacha !* Laurence Gillot • 21- *Bienvenue à bord !* Ann Rocard • 22- *Gafi et le chevalier Grocosto,* Didier Lévy • 27- *Qui a kidnappé la Joconde ?* Mymi doinet • 28- *Grands frissons à la ferme !* Didier Jean et Zad • 33- *Les chocolats ensorcelés,* Mymi Doinet • 34- *Au bal costumé,* Laurence Gillot

Directeur de collection et conseil pédagogique :
Alain Bentolila

Jeux conçus par Georges Rémond

© Éditions Nathan (Paris-France), 2007
Loi n°49956 du 16 juillet 1949
sur les publications destinées à la jeunesse
ISBN 978-2-09-251335-4
N° éditeur : 10157115 - Dépôt légal : février 2009
Imprimé en France par Loire Offset Titoulet

Pascale et Gafi emmènent
Pacha chez le vétérinaire.
C'est le grand jour des vaccins !

La salle d'attente est pleine. Il y a
un monsieur et son chien endormi.

Et une dame avec un perroquet…

Pagaille chez le vétérinaire !

Pacha, intrigué par ce drôle d'oiseau, s'approche…

Mais le perroquet a peur, il crie :

– Arrière ! Sac à puces !

Et il pince le nez de Pacha ! Aïe !!

Que va-t-il se passer ?

Quel oiseau mal élevé !
Pacha décide de lui voler
dans les plumes !
Tout ce bruit réveille le chien,
qui est très en colère...

Le chien veut attraper Pacha,
et Pacha, lui, essaie d'attraper
le perroquet…

En un instant, c'est la panique
dans la salle d'attente !

Pagaille chez le vétérinaire !

Attiré par le bruit, le vétérinaire surgit, furieux :

– C'est bientôt fini, ce boucan ?

Mais les animaux lui glissent entre les jambes et ils rentrent dans son bureau !

La course-poursuite continue...
Alors, suis-moi !

Les appareils et les papiers volent
dans tous les sens…
Quel bazar ! Pascale se tourne
vers Gafi :
– Gafi, fais quelque chose !

Le fantôme veut capturer
le perroquet…
Affolé, l'oiseau s'envole
par une fenêtre.
Catastrophe !
Pacha et le chien le suivent…
Ils vont tomber dans le vide !

Catastrophe ! Que faire ?

17

Pagaille chez le vétérinaire !

Mais Gafi est là !

Il bondit derrière les animaux.

Gafi s'étire et se transforme…

en un grand parachute. Ouf !

Le vétérinaire est ravi :

– Bravo Gafi ! Vous voulez bien m'aider encore ?

Gafi est d'accord !

Aidé par Gafi, le vétérinaire s'occupe
des animaux.

Très vite, l'oiseau et le chien
sont soignés, et Pacha est vacciné.

Comme tout le monde a été sage,
le vétérinaire veut offrir des biscuits…
… et voilà tous les animaux
qui se jettent sur lui !

Pascale soupire :

– Oh non ! C'est reparti !

c'est fini !

Certains mots sont peut-être difficiles à comprendre. Je vais t'aider !

Vaccin : produit que l'on doit prendre, par piqûre, pour ne pas attraper certaines maladies.

Intrigué : étonné, curieux.

Boucan : tapage, vacarme.

Capturer : attraper.

Urgence !

Remets les images dans l'ordre de l'histoire.

a

b

c

d

e

f

Coco ?

Trouve les deux perroquets parfaitement identiques.

Réponse : les deux perroquets identiques sont le 1 et le 6.

Aïe aïe aïe !

Combien de fois le mot « VACCIN » est-il écrit dans cette grille ?

v	a	c	c	i	n	v
a	z	o	v	a	d	a
c	d	g	a	f	i	g
c	d	v	c	u	c	a
i	v	a	c	c	i	n
n	o	c	i	g	e	c
s	d	c	n	a	l	y